IMAGINACIÓN DESPIERTA

El Poder que hace inevitable el logro de los objetivos…
el cumplimiento de los deseos.

Incluye

LA BÚSQUEDA

NEVILLE

Traducción de
Marcela Allen Herrera

WISDOM COLLECTION
PUBLISHING HOUSE

Wisdom Collection LLC /Publishing Company
McKinney, Texas 75070
www.wisdomcollection.com

Imaginación Despierta / Edición Revisada
ISBN: 978-1-63934-051-4

La versión original de este libro fue publicada
en el año 1941 por el gran místico americano,
Neville Goddard.

Para otros títulos y obras del Nuevo Pensamiento,
visita nuestro sitio web

www.wisdomcollection.com

Para
Bill

"La imaginación, el mundo real y eterno del que este
Universo Vegetal no es más que una débil sombra.
¿Qué es la vida del hombre sino el arte y la ciencia?"
(William Blake, Jerusalén)

"La Imaginación es más importante
que el conocimiento"
(Albert Einstein, sobre la Ciencia)

CONTENIDOS

CAPÍTULO 1

¿QUIÉN ES TU IMAGINACIÓN?

"No descanso de mi gran tarea,
Abrir los Mundos Eternos,
abrir los ojos inmortales del Hombre
hacia los Mundos del Pensamiento:
hacia la eternidad, siempre expandiéndose
en el seno de Dios, la Imaginación Humana"
(Blake, Jerusalén 5: 18-20)

Ciertas palabras, al ser utilizadas durante mucho tiempo, adquieren tantas connotaciones extrañas que casi dejan de tener algún significado. Una de esas palabras es: imaginación. Esta palabra está hecha para servir a todo tipo de ideas, algunas de ellas directamente opuestas entre sí. Fantasía, pensamiento, alucinación, sospecha; ciertamente, su uso es tan amplio y sus significados tan variados, que la palabra imaginación no tiene una categoría ni un significado fijo. Por ejemplo, le pedimos a alguien que "use su imaginación", lo que significa que su perspectiva actual es demasiado restringida y, por tanto, no está a la altura de la tarea. A continuación, le decimos que sus ideas son "pura imaginación", lo que implica que sus ideas no son sólidas. Hablamos de una persona celosa o desconfiada como "víctima de su propia imaginación", lo que significa que sus pensamientos son falsos. Un minuto después, rendimos el más alto homenaje a una persona describiéndola como una "persona de imaginación". Por lo tanto, la palabra imaginación no tiene un significado definitivo. Ni siquiera el diccionario nos ayuda. Define la imaginación como:

(1) El poder de representación o acto de la mente, el principio constructivo o creativo.

(2) Un fantasma.

(3) Una noción o creencia irracional.

(4) la planificación, la conspiración o la maquinación que implica una construcción mental.

Yo identifico a la figura central de los Evangelios con la imaginación humana, el poder que hace inevitable el perdón de los pecados y el logro de nuestros objetivos.

"Todas las cosas fueron hechas por medio de él, y sin él nada de lo que ha sido hecho, fue hecho" (Juan 1: 3)

Solo hay una sola cosa en el mundo. La Imaginación, y todas nuestras distorsiones de ella.

"Fue despreciado y desechado de los hombres, varón de dolores y experimentado en aflicción" (Isaías 53: 3)

La imaginación es la puerta misma de la realidad. Blake dijo: "El hombre es bien el arca de Dios o un fantasma de la tierra y del agua". "Naturalmente, él es solo un órgano natural sujeto al Sentido". "El Cuerpo Eterno del Hombre es La Imaginación: eso es Dios mismo. El Cuerpo Divino, Yod, Shin, Ayin: Jesús: nosotros somos sus miembros".

No conozco ninguna definición más grande y verdadera de la imaginación que la de Blake. Por la imaginación tenemos el poder de ser cualquier cosa que deseamos ser. Mediante la imaginación desarmamos y transformamos la violencia del mundo. Nuestras relaciones más íntimas, así como las más casuales, se vuelven imaginativas cuando despertamos al "misterio oculto desde los siglos", que Cristo en nosotros es nuestra imaginación. Entonces nos damos cuenta de que solo en la medida en que vivimos de la imaginación podemos decir que vivimos de verdad.

Quiero que este libro sea la obra más sencilla, clara y franca que pueda hacer, para animarte a funcionar imaginativamente, para que puedas abrir tus "Ojos Inmortales hacia el interior, a los Mundos del Pensamiento", donde contemplas cada deseo de tu corazón como un grano maduro "blanco, listo para la cosecha".

3

"He venido para que tengan vida, y para que la tengan en abundancia" (Juan 10: 10)

La vida abundante que Cristo nos prometió es nuestra para ser experimentada ahora, pero no podremos experimentarla hasta que no tengamos el sentido de Cristo como nuestra imaginación.

"El misterio que ha estado oculto desde los siglos... Cristo en ustedes, la esperanza de gloria" (Colosenses 1: 26-27)

Es tu imaginación. Este es el misterio que siempre me esfuerzo por comprender más profundamente y por instar a los demás a hacerlo.

La imaginación es nuestro redentor, "el Señor del cielo" nacido del hombre, pero no engendrado por el hombre.

Todas las personas son María y deben dar a luz a Cristo. Si la historia de la inmaculada concepción[1] y el nacimiento de Cristo parece irracional, es solo porque se lee erróneamente como biografía, historia y cosmología, y los exploradores modernos de la imaginación no ayudan llamándola mente inconsciente o subconsciente. El nacimiento y crecimiento de la imaginación es la transición gradual de un Dios de tradición a un Dios de experiencia. Si el nacimiento de Cristo en el individuo parece lento, es solo porque no está dispuesto a abandonar el cómodo, pero falso anclaje de la tradición.

---

[1] Neville utiliza este término en referencia a lo que tradicionalmente se llama el nacimiento virginal. —Ed.

Cuando la imaginación sea descubierta como el primer principio de la religión, la piedra del entendimiento literal habrá sentido la vara de Moisés y, como la roca de Sion, emitirá el agua del significado psicológico para saciar la sed de la humanidad; y todos los que tomen la copa ofrecida y vivan una vida de acuerdo con esta verdad transformarán el agua del significado psicológico en el vino del perdón. Entonces, como el buen samaritano, lo derramarán sobre las heridas de todos.

El Hijo de Dios no se encuentra en la historia ni en ninguna forma externa. Solo se le puede encontrar como la imaginación de aquel en quien se manifiesta su presencia.

¡Ojalá tu corazón fuera un pesebre para su nacimiento! Dios volvería a ser un niño en la tierra.

El ser humano es el jardín en el que duerme este Hijo unigénito de Dios. Despierta a este Hijo elevando su imaginación al cielo y vistiendo a la humanidad como si fuera un dios. Debemos seguir imaginando mejor de lo que conocemos.

En el momento de su despertar a la vida imaginativa, el individuo debe superar la prueba de la filiación.

"Padre, revela a Tu Hijo en mí"

"Tuvo a bien revelar a su Hijo en mí"
(Gálatas 1: 15-16)

5

La prueba suprema de la filiación es el perdón del pecado. La prueba de que tu imaginación es Jesucristo, el Hijo de Dios, es tu capacidad de perdonar el pecado. Pecado significa fallar en la vida, no alcanzar el ideal, no lograr el objetivo. El perdón significa la identificación del individuo con su ideal o meta en la vida. Este es el trabajo de la imaginación despierta, el trabajo supremo, porque pone a prueba la capacidad de la persona de entrar y tomar parte de la naturaleza de su opuesto.

"Que el débil diga: ¡Soy fuerte!" (Joel 3: 10)

Razonablemente, esto es imposible. Solo la imaginación despierta puede entrar y participar de la naturaleza de su opuesto.

Esta concepción de Jesucristo como imaginación humana plantea estas interrogantes fundamentales: ¿Es la imaginación un poder suficiente, no solamente para permitirme asumir que soy fuerte, sino que también es capaz de ejecutar la idea por sí misma? Supongamos que deseo estar en otro lugar o situación. Si me imagino en ese estado y lugar, ¿podría llevar a cabo su realización física? Supongamos que no puedo costear el viaje y supongamos que mi actual situación social y económica se opone a la idea que quiero realizar. ¿Sería la imaginación capaz de encarnar por sí misma estos deseos? ¿La imaginación comprende la razón? Por razón, me refiero a las deducciones de las observaciones de los sentidos. ¿La imaginación reconoce el mundo externo de los hechos? En la práctica de la vida cotidiana, ¿es la imaginación una guía completa del comportamiento?

Supongamos que soy capaz de actuar con una imaginación continua, es decir, supongamos que soy capaz de mantener el sentimiento de mi deseo cumplido, ¿se convertirá en un hecho mi asunción? Y, si se convierte en un hecho, al analizarlo, ¿encontraré que mis acciones durante el período de incubación han sido razonables? ¿Es mi imaginación un poder suficiente, no solo para asumir el sentimiento del deseo cumplido, sino que es también por sí misma capaz de encarnar la idea? Después de asumir que ya soy lo que deseo ser, ¿debo continuamente guiarme por ideas y acciones razonables para poder traer el cumplimiento de mi asunción?

La experiencia me ha convencido de que una asunción, aunque sea falsa, si se persiste en ella se convertirá en un hecho, que la imaginación continua es suficiente para todas las cosas, y todos mis planes y acciones razonables nunca compensarán mi falta de imaginación continua.

¿No es verdad que las enseñanzas de los Evangelios solo pueden ser recibidas en términos de fe y que el Hijo de Dios está constantemente buscando señales de fe en la gente, es decir, fe en su propia imaginación? La promesa:

"Cree que has recibido, y recibirás"
(Marcos 11: 24)

¿Acaso no es lo mismo que "imagina que ya eres, y lo serás"? ¿No era un estado imaginado en el que Moisés:

"Se mantuvo firme como si estuviera viendo al invisible"? (Hebreos 11: 27)

7

¿No fue por el poder de su propia imaginación que él se mantuvo firme? La Verdad depende de la intensidad de la imaginación, no de los hechos externos. Los hechos son el fruto que atestigua el uso o el mal uso de la imaginación. La persona se convierte en lo que imagina. Tiene una historia autodeterminada. La imaginación es el camino, la verdad, la vida revelada.

No podemos encontrar la verdad con la mente lógica. Donde el ser natural de los sentidos ve un capullo, la imaginación ve una rosa completamente florecida. La verdad no puede ser contenida por los hechos. Al despertar a la vida imaginativa, descubrimos que imaginar que una cosa es así la convierte en tal, que un juicio verdadero no tiene por qué ajustarse a la realidad externa con la que se relaciona.

El imaginativo no niega la realidad del mundo exterior sensorial del Devenir, pero sabe que es el mundo interior de la continua imaginación la fuerza por la que el mundo exterior sensual del Devenir se hace realidad. Ve el mundo externo y todos sus acontecimientos como proyecciones del mundo interno de la imaginación. Para él, todo es una manifestación de la actividad mental que se desarrolla en la imaginación humana, sin que el razonable ser de los sentidos sea consciente de ello. Pero se da cuenta de que es preciso que cada uno tome conciencia de esta actividad interior y vea la relación entre el mundo causal interior de la imaginación y el mundo exterior sensorial de los efectos.

Es algo maravilloso descubrir que uno puede imaginarse a sí mismo en el estado de su deseo cumplido y escapar de la cárcel que la ignorancia construyó. El ser Real es una magnífica imaginación. Es este ser el que debe ser despertado.

"Despierta, tú que duermes, levántate de entre los muertos, y Cristo te alumbrará" (Efesios 5: 14)

En el momento en que el individuo descubre que su imaginación es Cristo, realiza actos que a este nivel solo pueden llamarse milagrosos.

"Tú no me escogiste a mí, yo te he escogido". (Juan 15: 16)

Pero mientras no tenga el sentido de Cristo como su imaginación, verá todo en pura objetividad, sin ninguna relación subjetiva. Al no darse cuenta de que todo lo que encuentra forma parte de sí mismo, se rebela ante la idea de que ha elegido las condiciones de su vida, que están relacionadas por afinidad con su propia actividad mental. El individuo debe creer firmemente que la realidad está dentro de él y no fuera.

Aunque los demás tengan cuerpos, una vida propia, su realidad está enraizada en ti, termina en ti, como la tuya termina en Dios.

CAPÍTULO 2

INSTRUCCIONES SELLADAS

"El primer poder que nos encuentra en el umbral del dominio del alma, es el poder de la Imaginación" (Dr. Franz Hartmann)

La primera vez que fui consciente del poder, la naturaleza y la función redentora de la imaginación fue a través de las enseñanzas de mi amigo Abdullah. Posteriormente, a través de algunas experiencias, aprendí que Jesús era un símbolo de la llegada de la imaginación al individuo, que la prueba de su nacimiento en el ser humano era la capacidad del individuo para perdonar el pecado; es decir, su capacidad para identificarse a sí mismo o a otro con su objetivo en la vida.

Sin la identificación del individuo con su objetivo, el perdón del pecado es imposible, y solamente el Hijo de Dios puede perdonar el pecado. Por tanto, la capacidad que tiene la persona de identificarse con su objetivo, aunque la razón y sus sentidos lo nieguen, es una prueba del nacimiento de Cristo en ella. Rendirse pasivamente a las apariencias e inclinarse ante la evidencia de los hechos es confesar que Cristo aún no ha nacido en ti.

Esta enseñanza me chocó y disgustó al principio — pues yo era un cristiano comprometido y ferviente, y en ese momento no sabía que el cristianismo no puede ser heredado por el simple accidente del nacimiento, sino que debe ser adoptado conscientemente como una forma de vida. Sin embargo, más tarde, a través de visiones, revelaciones místicas y experiencias prácticas, se introdujo en mi entendimiento y encontró su interpretación en un estado de ánimo más profundo. Pero debo confesar que es un momento difícil cuando se sacuden aquellas cosas que uno siempre ha dado por sentadas.

"¿Ves todos estos grandes edificios? No quedará piedra sobre piedra que no sea derribada"
(Marcos 13: 2)

No quedará ni una piedra de entendimiento literal después de beber el agua del significado psicológico. Todo lo que ha sido construido por la religión natural es arrojado a las llamas del fuego mental. No obstante, ¿qué mejor manera hay de entender a Jesucristo que identificar al personaje central de los Evangelios con la imaginación humana, sabiendo que cada vez que uno ejerce su imaginación con amor a favor de otro está literalmente mediando entre Dios y la persona y, por tanto, alimentando y vistiendo a Jesucristo, y que cada vez que

11

imagina el mal contra otro está literalmente golpeando y crucificando a Jesucristo? Cada imaginación humana es el vaso de agua fría o la esponja de vinagre para los labios secos de Cristo.

El profeta Zacarías advirtió: "Ninguno de ustedes piense mal en su corazón contra su prójimo". Cuando las personas atiendan a este consejo, despertarán del sueño impuesto en Adán a la plena conciencia del Hijo de Dios. Él está en el mundo, y el mundo está hecho por él, y el mundo no lo conoce: La imaginación humana.

Muchas veces me he preguntado: "Si mi imaginación es Jesucristo y todas las cosas son posibles para Jesucristo, ¿todas las cosas son posibles para mí?".

Mediante la experiencia aprendí que cuando me identifico con mi objetivo en la vida, entonces Cristo está despierto en mí. Cristo es suficiente para todas las cosas.

"Yo doy mi vida para tomarla de nuevo. Nadie me la quita, sino que yo la doy de mi propia voluntad" (Juan 10: 17-18)

¡Qué alivio es saber que todo lo que experimento es el resultado de mi propio sistema de creencias; que soy el centro de mi propia red de circunstancias y que, a medida que cambio, también lo hace mi mundo exterior!

El mundo presenta diferentes apariencias según difieren nuestros estados de conciencia. Lo que vemos cuando estamos identificados con un estado no puede verse cuando ya no estamos fusionados con él. Por estado se entiende todo lo que la persona cree y consiente como verdadero. Ninguna idea presentada a la mente puede hacerse realidad a menos que la mente la acepte. Depende de la aceptación, del estado con el que nos identificamos, cómo se presentan las cosas. En la fusión de la imaginación y los estados se encuentra la formación del mundo como aparece. El mundo es una revelación de los estados con los que se fusiona la imaginación. Es el estado desde el que pensamos, el que determina el mundo objetivo en el que vivimos. El rico, el pobre, el bueno y el ladrón son lo que son en virtud de los estados desde los que ven el mundo. En la distinción entre estos estados depende la distinción entre los mundos de estas personas. Este mismo mundo es muy diferente a nivel individual. No son las acciones y el comportamiento de las personas de bien las que hay que igualar, sino su punto de vista. Las reformas externas son inútiles si no se cambia el estado interno. El éxito no se obtiene imitando las acciones externas de los exitosos, sino con acciones internas y conversaciones internas correctas.

Si nos separamos de un estado, y podemos hacerlo en cualquier momento, las condiciones y circunstancias a las que dio lugar esa unión se desvanecen.

Fue en el otoño de 1933, en la ciudad de Nueva York, cuando me acerqué a Abdullah con un problema. Me hizo una simple pregunta: "¿Qué quieres?". Le dije que me gustaría pasar el invierno en Barbados, pero que no tenía dinero. Literalmente, no tenía ni un céntimo.

Él dijo: "Si te imaginas que estás en Barbados, pensando y viendo el mundo *desde* ese estado de conciencia, en lugar de pensar *en* Barbados, pasarás el inverno allí. No es necesario que te preocupes por los medios para llegar allí, pues el estado de conciencia de estar ya en Barbados, si lo ocupa tu imaginación, ideará los medios más adecuados para la realización".

Las personas viven comprometiéndose con estados invisibles, fusionando su imaginación con aquello que conocen como algo distinto a ellas mismas, y en esta unión experimentan los resultados de esa fusión. Nadie puede perder lo que tiene sino desprendiéndose del estado en que las cosas experimentadas tienen su vida natural.

Abdullah me dijo: "Debes imaginarte en el estado de tu deseo realizado, y quedarte dormido observando el mundo desde Barbados".

El mundo que describimos a partir de la observación debe ser como lo describimos en relación con nosotros mismos. Nuestra imaginación nos conecta con el estado deseado. Pero debemos utilizar la imaginación con maestría, no como un espectador pensando *en* el final, sino como un participante pensando *desde* el final. Debemos realmente estar allí en la imaginación. Si lo hacemos, nuestra experiencia subjetiva se materializará objetivamente.

"Esto no es una simple fantasía" —señaló— "sino una verdad que puede ser verificada por la experiencia".

Su llamado a entrar en el deseo cumplido era el secreto de pensar *desde* el final. Todo estado está ya ahí como "mera posibilidad" mientras se piensa en él, pero es poderosamente real cuando se piensa desde él. Pensar desde el final es el camino de Cristo.

Enseguida empecé a fijar mis pensamientos más allá de los límites del sentido, más allá de ese aspecto al que daba lugar mi estado actual, hacia el sentimiento de estar ya en Barbados y ver el mundo *desde* ese punto de vista.

Él enfatizó la importancia del estado desde el cual la persona ve el mundo cuando se duerme. Todos los profetas afirman que la voz de Dios es escuchada principalmente por el individuo en los sueños.

"En un sueño, en una visión nocturna, cuando un sueño profundo cae sobre los hombres, mientras dormitan en sus lechos, entonces el abre el oído de los hombres, y sella su instrucción" (Job 33: 15-16)

Aquella noche, y varias noches después, me dormí pensando que estaba en casa de mi padre en Barbados. Al cabo de un mes recibí una carta de mi hermano diciéndome que tenía un gran deseo de tener a la familia reunida en Navidad y pidiéndome que utilizara el boleto de barco que adjuntaba para ir a Barbados. Me embarqué dos días después de recibir la carta de mi hermano y pasé un maravilloso invierno en Barbados.

Esta experiencia me convenció de que las personas pueden ser lo que quieran, si hacen de la idea algo habitual y piensan desde el final. También me ha mostrado que ya no puedo justificarme culpando al mundo de las cosas externas: que mi bien y mi mal dependen solo de mí mismo, porque la forma en que se presentan las cosas depende del estado desde el que veo el mundo.

El ser humano, que es libre en su elección, actúa a partir de las concepciones que elige libremente, aunque

15

no siempre sabiamente. Todos los estados concebibles están esperando que los elijamos y los ocupemos, pero ningún racionamiento nos dará por sí mismo el estado de conciencia, que es lo único que vale la pena tener. La imagen imaginativa es lo único que hay que buscar. El objetivo último de la imaginación es crear en nosotros "el espíritu de Jesús", que es la continua renuncia al pecado, la continua identificación del individuo con su ideal. Solo identificándonos con nuestra meta podemos perdonarnos por no haberla alcanzado. Todo lo demás es trabajo en vano. Por este camino, a cualquier lugar o estado que llevemos nuestra imaginación, a ese lugar o estado también gravitaremos físicamente.

"En la casa de mi Padre hay muchas moradas; si no fuera así, se lo hubiera dicho; porque voy a preparar un lugar para ustedes. Y si me voy y les preparo un lugar, vendré otra vez y los tomaré adonde Yo voy; para que donde Yo esté, allí estén ustedes también" (Juan 14: 2-3).

Al dormir en la casa de mi padre, en mi imaginación, como si durmiera allí en la carne, fusioné mi imaginación con ese estado y me vi obligado a experimentar ese estado también en la carne.

Este estado era tan vívido para mí, que podría haber sido visto en la casa de mi padre si alguien sensitivo hubiera entrado en la habitación en la que estaba durmiendo en la imaginación. Una persona puede ser vista donde está en la imaginación, porque la persona debe estar donde está su imaginación, ya que su imaginación es ella misma. Esto lo sé por experiencia, pues he sido visto por algunos que deseaba que me vieran, cuando físicamente estaba a cientos de kilómetros de distancia.

Por la intensidad de mi imaginación y sentimiento, imaginando y sintiendo que estaba en Barbados y no simplemente pensando en Barbados, había cruzado el vasto Atlántico y había influido para que mi hermano deseara mi presencia para completar el círculo familiar en Navidad. Pensar desde el final, desde el sentimiento de mi deseo cumplido, fue lo que originó todo lo que sucedió como causa externa, como el impulso de mi hermano de enviarme un boleto de barco, asimismo, fue la causa de todo lo que apareció como resultado.

En el libro "Ideas sobre el bien y el mal", W.B. Yeats, tras describir algunas experiencias similares a las mías, escribe:

Si todos los que han descrito sucesos como este no hubieran soñado, deberíamos reescribir nuestras historias, pues todos los hombres, ciertamente todos los hombres imaginativos, deben estar siempre lanzando encantamientos, encantos, ilusiones; y todos los hombres, especialmente los hombres tranquilos que no tienen una vida egocéntrica poderosa, deben estar pasando continuamente bajo su poder.

La imaginación decidida, pensando desde el final, es el principio de todos los milagros.

Me gustaría darte una inmensa creencia en los milagros, pero un milagro es solo el nombre que dan los que no conocen el poder y la función de la imaginación a las obras de la imaginación. Imaginarse en el sentimiento del deseo cumplido es el medio por el cual se entra en un nuevo estado. Esto le da al estado la cualidad de ser. Hermes nos dice:

Lo que es, se manifiesta; lo que ha sido o será, no se manifiesta, pero no está muerto; porque el Alma, la actividad eterna de Dios, anima todas las cosas.

El futuro debe convertirse en el presente, en la imaginación de quien crea sabia y conscientemente las circunstancias. Debemos traducir la visión en Ser, en lugar de pensar *en* debemos pensar *desde*. La imaginación debe centrarse en algún estado y ver el mundo desde ese estado. Pensar desde el final es una intensa percepción del mundo del deseo cumplido. Pensar desde el estado deseado es la vida creativa. La ignorancia de esta capacidad de pensar desde el final es esclavitud. Es la raíz de todas las ataduras que encuentra el ser humano. Rendirse pasivamente a la evidencia de los sentidos subestima las capacidades del Ser Interior. Cuando la persona acepta el hecho de pensar desde el final como un principio creativo en el que puede cooperar, entonces se redime del absurdo de intentar alcanzar su objetivo simplemente pensando en él.

Construye todos los finales de acuerdo al patrón del deseo cumplido.

Toda la vida no es más que el apaciguamiento del hambre, y los infinitos estados de conciencia desde los que una persona puede ver el mundo son puramente un medio para satisfacer esa hambre. El principio sobre el que se organiza cada estado es alguna forma de hambre para elevar la pasión por la autogratificación a niveles de experiencia cada vez más altos. El deseo es el resorte principal de la maquinaria mental. Es algo bendito. Es un anhelo correcto y natural que tiene un estado de conciencia como su satisfacción correcta y natural.

"Pero una cosa hago: olvidando lo que queda atrás y extendiéndome a lo que está adelante, prosigo hacia la meta" (Filipenses 3: 13-14).

Es necesario tener un objetivo en la vida. Sin un objetivo vamos a la deriva. "¿Qué quieres de mí?", es la pregunta que más impone el personaje central de los Evangelios. Al definir tu objetivo, debes desearlo.

"Como el ciervo anhela las corrientes de agua, así suspira por ti, oh Dios, el alma mía" (Salmos 42: 1)

La falta de esta dirección apasionada hacia la vida es lo que hace que las personas fracasen en su realización. Es muy importante establecer el puente entre el deseo —pensar en— y la realización —pensar desde. Debemos pasar mentalmente de pensar en el final, a pensar desde el final. Esto es algo que la razón nunca podría hacer. Por su naturaleza, está restringida a la evidencia de los sentidos; pero la imaginación, al no tener tal limitación, puede hacerlo. El deseo existe para ser gratificado en la actividad de la imaginación. A través de la imaginación, el individuo escapa de la limitación de los sentidos y de la esclavitud de la razón. No hay nada que detenga a quien puede pensar desde el final. Nada puede detenerlo. Él crea los medios y se abre camino fuera de la limitación hacia mansiones más y más grandes del Señor. No importa lo que él haya sido o lo que es. Lo único que importa es "¿qué quiere?". Él sabe que el mundo es una manifestación de la actividad mental que se desarrolla en su interior, por lo que se esfuerza en determinar y controlar los finales desde los cuales piensa. En su imaginación, habita en el final, confiando en que también habitará allí en la carne. Pone toda su confianza en el sentimiento del deseo cumplido y vive comprometido con ese estado, porque el arte de la fortuna lo tienta a hacerlo. Como el hombre del estanque de Betesda, está preparado para el movimiento de las aguas de la imaginación. Sabiendo que todo deseo es grano maduro para el que sabe pensar desde el final, es indiferente a la simple probabilidad razonable y confía en que, a través de la continua imaginación, sus asunciones se materializarán en hechos.

Pero cómo convencer a las personas de todo el mundo de que pensar desde el final es el único modo de vivir, cómo fomentarlo en todas las actividades humanas, cómo revelarlo como la plenitud de la vida y no como la compensación de los decepcionados: ese es el problema..

La vida es algo controlable. Puedes experimentar lo que quieras una vez que te des cuenta que tú eres su Hijo, y que eres lo que eres en virtud del estado de conciencia desde el cual piensas y ves el mundo.

"Hijo mío, tú siempre has estado conmigo, y todo lo mío es tuyo" (Lucas 15: 31)

CAPÍTULO 3

AUTOPISTAS DEL MUNDO INTERNO

"Los hijos luchaban dentro de ella...
Y el Señor le dijo: Dos naciones hay en tu seno,
y dos pueblos se dividirán desde tus entrañas;
un pueblo será más fuerte que el otro
y el mayor servirá al menor"
(Génesis 25: 22-23)

La Dualidad es una condición inherente a la vida. Todo lo que existe es dual. El ser humano es una criatura dual con principios contradictorios integrados en su naturaleza. Estos se enfrentan en su interior y presentan actitudes antagónicas ante la vida. Este conflicto constituye la eterna tarea, la guerra en el cielo, la interminable lucha entre el más joven o el ser interior de la imaginación para afirmar su supremacía sobre el más viejo o el ser exterior de los sentidos.

"Así, los últimos serán primeros, y los primeros, últimos" (Mateo 19: 30)

"Este es el que ha de venir tras mí, el cual es antes de mí" (Juan 1: 27)

"El segundo hombre es del cielo" (1 Corintios 15: 47)

El individuo comienza a despertar a la vida imaginativa en el momento en que siente la presencia de otro ser dentro de él.

Dos naciones hay en tu seno, razas rivales desde nacimiento; una ganará el dominio y la menor reinará sobre la mayor.

Hay dos centros distintos de pensamiento o perspectivas sobre el mundo que posee cada persona. La Biblia habla de estas dos perspectivas como natural y espiritual.

"El hombre natural no acepta las cosas del Espíritu de Dios, porque para él son necedad; y no las puede entender, porque se disciernen espiritualmente". (1 Corintios 2: 14)

El cuerpo interior del ser humano es tan real en el mundo de la experiencia subjetiva como su cuerpo físico exterior es real en el mundo de realidades externas, pero el cuerpo interior expresa una parte más fundamental de la realidad. Este cuerpo interior existente debe ser ejercitado y dirigido conscientemente. El mundo interior del pensamiento y del sentimiento con el que el cuerpo interior está en consonancia tiene su estructura real y existe en su propio espacio superior.

Hay dos tipos de movimiento, uno que está de acuerdo con el cuerpo interior y otro que está de acuerdo con el cuerpo exterior. El movimiento que está de acuerdo con el cuerpo interior es causal, mientras que el movimiento exterior está bajo coacción. El movimiento interior determina el exterior, que está unido a él, llevando al exterior un movimiento que es similar a las acciones del cuerpo interior. El movimiento interior es la fuerza por la que se producen todos los acontecimientos. El movimiento exterior está sujeto a la coacción que le aplica el movimiento del cuerpo interior.

Cuando las acciones del cuerpo interior coinciden con las acciones que el cuerpo exterior debe realizar para satisfacer el deseo, ese deseo se realizará.

Construye mentalmente un drama que implique que tu deseo ya se ha realizado, y haz que implique un movimiento del yo. Inmoviliza tu ser físico externo. Actúa precisamente como si fueras a tomar una siesta, y comienza la acción predeterminada en la imaginación. Una representación vívida de la acción es el comienzo de esa acción. Luego, mientras te duermes, imagínate conscientemente en la escena. La duración del sueño no es importante, una siesta corta es suficiente, pero llevar la acción al sueño hace que la fantasía se convierta en realidad.

Al principio tus pensamientos pueden ser como ovejas descarriadas que no tienen pastor. No te desesperes. Si tu atención se desvía setenta veces siete, devuélvela setenta veces siete a su curso predeterminado hasta que, por cansancio, siga el camino señalado. El viaje interno nunca debe estar sin dirección. Cuando emprendes el camino interno, es para hacer lo que hiciste mentalmente antes de empezar. Vas por el premio que ya has visto y aceptado.

En "La Ruta a Xanadu", el profesor John Livingston Lowes dice:

> Pero desde hace tiempo había tenido la sensación, la cual este estudio ha convertido en una convicción, de que la fantasía y la imaginación no son dos poderes en absoluto, sino uno solo. La distinción válida que existe entre ellas radica, no en los materiales con los que operan, sino en el grado de intensidad del propio poder operante. Trabajando a alta tensión, la energía imaginativa asimila y transmuta; a baja intensidad, la misma energía agrega y une las imágenes que, en su tono más alto, se funden indisolublemente en una.

La fantasía ensambla, la imaginación fusiona.

A continuación, se presenta una aplicación práctica de esta teoría. Hace un año, una chica ciega que vivía en la ciudad de San Francisco se encontró con un problema de transporte. Un cambio en la ruta de los autobuses la obligaba a hacer tres transbordos entre su casa y su oficina. Esto alargaba su viaje de quince minutos a dos horas y quince minutos. Pensó seriamente en este problema y llegó a la conclusión de que la solución era un automóvil. Sabía que no podía conducir un vehículo, pero sentía que podía ser conducida en uno. Poniendo a prueba la teoría de que, "siempre que las acciones del yo interior se correspondan con las acciones que el yo físico exterior debe realizar para satisfacer el deseo, ese deseo se hará realidad", se dijo a sí misma: "Me sentaré aquí e imaginaré que me llevan a mi oficina".

Sentada en su sala de estar, empezó a imaginarse sentada en un automóvil. Sintió el ritmo del motor. Imaginó que olía el olor de la gasolina, sintió el movimiento del vehículo, tocó la manga del conductor y sintió que este era un hombre. Sintió que el auto se detenía y, dirigiéndose a su acompañante, dijo: "Muchas gracias, señor". A lo que él respondió: "El placer es todo mío". Luego bajó del auto y escuchó el golpe de la puerta al cerrarla.

Ella me dijo que centró su imaginación en estar en un automóvil y que, aunque era ciega, veía la ciudad desde su paseo imaginario. No pensaba en el viaje. Pensaba desde el viaje y todo lo que este implicaba. Este viaje controlado y dirigido subjetivamente al propósito elevó su imaginación a su máxima potencia. Ella mantuvo su propósito siempre delante de ella, sabiendo que había cohesión en el movimiento interior intencional. En estos viajes mentales hay que mantener una continuidad emocional: la emoción del deseo cumplido. La expectativa y el deseo se unieron tan intensamente que pasaron de inmediato de un estado mental a un acto físico.

El yo interior se mueve a lo largo del curso predeterminado mejor cuando colaboran las emociones. El ser interior debe ser encendido, y se enciende mejor con el pensamiento de grandes obras y ganancias personales. Debemos sentir placer en nuestras acciones. Durante dos días consecutivos, la joven ciega realizó su paseo imaginario, dándole toda la alegría y la vivacidad sensorial de la realidad. Unas horas después de su segundo paseo imaginario, una amiga le habló de una historia publicada en el periódico de la tarde. Era la historia de un hombre que se interesaba por los ciegos. La joven ciega lo llamó por teléfono y le expuso su problema. Al día siguiente, de camino a casa, él se detuvo en un bar y, mientras estaba allí, tuvo el impulso de contar la historia de la chica ciega a su amigo, el propietario. Un total desconocido, al oír la historia, se ofreció a llevar a la chica ciega a casa todos los días. Entonces, el hombre que había contado la historia, le dijo: "Si la llevas a casa, yo la llevaré al trabajo".

Esto ocurrió hace más de un año y, desde ese día, esta joven ciega ha sido conducida hacia y desde su oficina por estos dos caballeros. Ahora, en lugar de pasar dos horas y quince minutos en tres autobuses, está en su oficina en menos de quince minutos. Y en ese primer trayecto a su oficina se dirigió a su buen samaritano y le dijo: "Muchas gracias, señor"; y él respondió: "El placer es todo mío".

Así, los objetos de su imaginación eran para ella las realidades de las que la manifestación física era solo el testigo. El principio animador determinante fue el viaje imaginario. Su triunfo solo podía sorprender a quienes no sabían de su viaje interno. Ella veía mentalmente el mundo desde este viaje imaginativo con tal claridad de visión que cada aspecto de la ciudad adquiría identidad. Estos movimientos internos no solamente producen los correspondientes movimientos externos: son la ley que opera por debajo de todas las apariencias físicas. La persona que practique estos ejercicios de bilocación desarrollará inusuales poderes de concentración y quietud, e inevitablemente alcanzará la conciencia despierta en el mundo interno y dimensionalmente más grande. Realizando con fuerza, ella cumplió su deseo, ya que, viendo la ciudad desde el sentimiento de su deseo cumplido, igualó el estado deseado y se concedió a sí misma lo que las personas dormidas piden a Dios.

Para cumplir tu deseo, es necesario que se inicie una acción en tu imaginación, independiente de la evidencia de los sentidos, que implique el movimiento del yo y que suponga la realización de tu deseo. Siempre que la acción sea la que realiza el ser externo para satisfacer el deseo, ese deseo se realizará.

El movimiento de cada objeto visible no es causado por cosas externas al cuerpo, sino por cosas internas que operan de adentro hacia afuera. El viaje se efectúa dentro de ti mismo. Viajas por las autopistas del mundo interior. Sin movimiento interior es imposible producir algo. La acción interna es una sensación introvertida. Si construyes mentalmente un drama que implica que has realizado tu objetivo, luego cierras los ojos y sueltas tus pensamientos hacia el interior, centrando tu imaginación todo el tiempo en la acción predeterminada y participando en esa acción, te convertirás en un ser autodeterminado.

La acción interna ordena todas las cosas de acuerdo con su propia naturaleza. Inténtalo y comprueba que es posible alcanzar un ideal deseable una vez formulado, pues solo mediante este proceso de experimentación puedes realizar tus potencialidades. Es así como se efectúa este principio creativo. Por lo tanto, la clave para una vida con propósito es centrar tu imaginación en la acción y el sentimiento del deseo cumplido con tal conciencia, tal sensibilidad, que inicies y experimentes el movimiento en el mundo interior.

Las ideas solo actúan si se sienten, si despiertan el movimiento interior. El movimiento interior está condicionado por la automotivación, el movimiento exterior por la coacción.

"Todo lugar que pise la planta de su pie les he dado a ustedes" (Josué 1: 3)

"El Señor tu Dios está en medio de ti, él es poderoso" (Sofonías 3:17)

CAPÍTULO 4

LAS TIJERAS DE PODAR DE LA REVISIÓN

"El segundo hombre es del cielo".
(1 Corintios 15: 47)

"Él nunca dirá orugas. Él dirá: «Hay muchas mariposas por nacer en nuestros cultivos, Prue». Él no dirá: «Es invierno». Él dirá: «El verano está durmiendo». Y no hay capullo demasiado pequeño, ni demasiado descolorido como para que Kester no lo llame el comienzo del florecimiento".
(Mary Webb, Precious Bane)

El primer acto de corrección o cura es siempre "revisar". Hay que empezar por uno mismo. Es la propia actitud la que hay que cambiar.

"Lo que somos, solo eso podemos ver"
(Emerson)

Es un ejercicio muy saludable y productivo revivir diariamente el día como te gustaría haberlo vivido, revisando las escenas para que se ajusten a tus ideales. Por ejemplo, supongamos que el correo de hoy nos ha traído una noticia decepcionante. Revisa la carta. Reescríbela mentalmente y haz que se ajuste a las noticias que desearías haber recibido. Luego, en la imaginación, lee la carta revisada una y otra vez. Esta es la esencia de la revisión, y la revisión tiene como resultado la revocación.

El único requisito es estimular tu atención de una manera y con una intensidad tal que quedes totalmente absorto en la acción revisada. Mediante este ejercicio imaginativo experimentarás una expansión y un refinamiento de los sentidos, y eventualmente alcanzarás la visión. Pero recuerda siempre que el fin último de este ejercicio es crear en ti "el Espíritu de Jesús", que es continuo perdón de los pecados.

La revisión es de gran importancia cuando el propósito es cambiarse a sí mismo, cuando hay un deseo sincero de ser algo diferente, cuando el anhelo es despertar el espíritu activo ideal del perdón. Sin imaginación, el individuo permanece siendo un ser de pecado. Entonces, podemos avanzar hacia la imaginación o permanecer presos en nuestros sentidos. Avanzar hacia la imaginación es perdonar. El perdón es la vida de la imaginación. El arte de vivir es el arte de perdonar. De hecho, el perdón es experimentar en la imaginación la versión revisada del día, experimentar en la imaginación lo que desearías haber experimentado en la carne. Cada vez que uno realmente perdona, es decir, cada vez que uno revive el acontecimiento como debería haber sido vivido, uno nace de nuevo.

"Padre, perdónalos" no es la súplica que llega una vez al año, sino la oportunidad que se presenta cada día. La idea del perdón es una posibilidad diaria y, si se hace sinceramente, elevará al individuo a niveles cada vez más altos del ser. Experimentará una Pascua diaria. La Pascua es la idea de levantarse transformado, y eso debe ser casi un proceso continuo.

La libertad y el perdón están inseparablemente unidos. No perdonar es estar en guerra con nosotros mismos, pues nos liberamos según nuestra capacidad de perdonar.

"Perdonen y serán perdonados" (Lucas 6: 37)

Perdona, no simplemente desde un sentido de deber o servicio; perdona porque quieres.

"Sus caminos son caminos agradables y todas sus sendas son paz" (Proverbios 3: 17)

Debes deleitarte con la revisión. Solo puedes perdonar a los demás de forma efectiva cuando tienes un sincero deseo de identificarlos con su ideal. El deber no tiene impulso. El perdón es una cuestión de retirar deliberadamente la atención del día no revisado y entregarla con toda la fuerza, y con alegría, al día revisado. Si una persona comienza a revisar, aunque sea un poco las contrariedades y los problemas del día, entonces comienza a trabajar prácticamente sobre sí misma. Cada revisión es una victoria sobre sí misma y, por lo tanto, una victoria sobre su enemigo.

"Los enemigos del hombre serán los de su misma casa" (Mateo 10: 36)

y su casa es su estado mental. Él cambia su futuro cuando revisa su día.

Cuando una persona practica el arte del perdón, de la revisión, por muy real que sea la escena sobre la que descansa su vista, la revisa con su imaginación y contempla una escena nunca antes presenciada. La magnitud del cambio que implica cualquier acto de revisión hace que dicho cambio parezca totalmente improbable para el realista —la persona no imaginativa; pero los cambios radicales en las fortunas del Pródigo fueron todos producidos por un "cambio de corazón".

La batalla que lucha la persona se desarrolla en su propia imaginación. Aquel que no revisa el día ha perdido la visión de esa vida, a cuya semejanza es la verdadera labor del "Espíritu de Jesús" transformar esta vida.

"Todo cuanto quieran que los hombres les hagan, así también hagan ustedes con ellos, porque esta es la ley" (Mateo 7: 12)

Veamos la forma en que una amiga artista se perdonó a sí misma y se liberó del dolor, la molestia y la incomodidad. Reconociendo que solo el olvido y el perdón nos llevarán a nuevos valores, ella se entregó a su imaginación y escapó de la prisión de sus sentidos. Ella escribe:

"El jueves enseñé todo el día en la escuela de arte. Solo una pequeña cosa perturbó el día. Al entrar en mi sala de clase de la tarde descubrí que el conserje había dejado todas las sillas encima de los pupitres después de limpiar el piso. Al levantar una silla, se me cayó de las manos y me dio un fuerte golpe en el empeine del pie derecho. Inmediatamente, examiné mis pensamientos y descubrí que había criticado al hombre por no hacer bien su trabajo. Dado que había perdido a su ayudante, comprendí que probablemente él consideraba que había hecho más que suficiente, y esto fue un regalo no deseado que había rebotado y me había golpeado en el pie. Al mirar mi pie, vi que tanto la piel como las medias estaban intactas, así que olvidé el asunto.

"Esa noche, después de haber trabajado intensamente durante unas tres horas en un dibujo, decidí prepararme una taza de café. Para mi total asombro, no podía mover el pie derecho en absoluto y estaba dando grandes golpes de dolor. Fui saltando hasta una silla y me quité la pantufla para mirarlo. Todo el pie era de un extraño color rosa púrpura, hinchado y caliente. Intenté caminar sobre él y me di cuenta de que únicamente temblaba. No tenía ningún control sobre él. Parecía una de estas dos cosas: o bien me había roto un hueso al dejar caer la silla sobre él, o bien se había dislocado algo.

"No sirve de nada especular qué es. Mejor solucionarlo lo antes posible. Así que me quedé en silencio, preparada para fundirme en la luz. Para mi completo desconcierto, mi imaginación se negó a cooperar. Simplemente dijo: «No». Este tipo de cosas me ocurren a menudo cuando estoy pintando. Empecé a argumentar: «¿Por qué no?» Y seguía diciendo: «No». Finalmente, me rendí y dije: «Sabes que me duele. Me estoy esforzando por no asustarme, pero tú eres quien manda. ¿Qué quieres hacer?» La respuesta: «Ir a la cama y revisar los acontecimientos del día». Así que le dije: «De acuerdo. Pero déjame decirte que si mi pie no está perfecto mañana por la mañana, solo podrás culparte a ti misma».

"Después de arreglar la ropa de cama para que no me tocara el pie, empecé a revisar el día. Fue un proceso lento, ya que me costaba mantener la atención alejada de mi pie. Repasé todo el día y no vi nada que añadir al incidente de la silla. Pero cuando llegué a las primeras horas de la tarde me encontré cara a cara con un hombre que desde hace un año se ha propuesto no hablarme. La primera vez que esto ocurrió pensé que se había quedado sordo. Le conocía desde los tiempos del colegio, pero nunca habíamos hecho más que saludarnos y hacer comentarios sobre el clima. Algunos amigos en común me aseguraron que yo no había hecho nada, que él había dicho que nunca le había caído bien y que finalmente había decidido que no valía la pena hablarme. Yo le había dicho "¡hola!", y él no había contestado. Descubrí que yo había pensado: 'Pobre hombre, qué estado tan horrible en el que está'. Voy a hacer algo para remediar esta ridícula situación. Entonces, en mi imaginación, me detuve ahí mismo y rehíce la escena. Le dije: "¡hola!" —él respondió: "¡hola!", y sonrió. Ahora pensé: "El buen Ed". Repetí la escena un par de veces, continué con el siguiente incidente y terminé el día.

"'Ahora qué, ¿hacemos mi pie o el concierto?' Había estado preparando y envolviendo un hermoso regalo de valor y éxito para una amiga que iba a debutar al día siguiente y estaba ilusionada con dárselo esta noche. Mi imaginación sonaba algo solemne mientras decía: 'Vamos al concierto. Será más divertido'. Pero antes, ¿no podríamos sacar mi pie perfecto de la imaginación a este físico antes de empezar? —le supliqué. 'Por supuesto'. "Hecho esto, me divertí mucho en el concierto y mi amiga recibió una tremenda ovación.

"En ese momento tenía mucho sueño y me quedé dormida haciendo mi proyecto. A la mañana siguiente, mientras me ponía la pantufla, de pronto me vino a la memoria la imagen de haber sacado un pie descolorido e hinchado de la misma pantufla. Saqué el pie y lo miré. Estaba perfectamente normal en todo aspecto. Había una pequeña mancha rosada en el empeine donde recordaba que me había golpeado con la silla. ¡Qué sueño tan vívido! —pensé— y me vestí. Mientras esperaba mi café, me acerqué hacia mi mesa de dibujo y vi que todos mis pinceles estaban desordenados y sin lavar. '¿Qué te ha hecho dejar los pinceles así?' '¿No te acuerdas? Fue por tu pie". Entonces no había sido un sueño después de todo, sino una hermosa curación".

Con el arte de la revisión ella había ganado lo que nunca habría ganado por la fuerza.

"En el cielo el único arte de vivir es olvidar y perdonar especialmente a la mujer" (Blake)

Debemos tomar nuestra vida, no como aparenta ser, sino desde la visión de este artista, desde la visión del mundo perfeccionando que está enterrado bajo todas las mentes —enterrado y esperando que revisemos el día.

"Nos llevan a creer una mentira cuando miramos con los ojos y no a través de ellos" (Blake)

Una revisión del día y aquello que consideraba tan obstinadamente real ya no lo era para ella y, como un sueño, se había desvanecido silenciosamente.

Puedes revisar el día de forma que te complazca y, al experimentar en la imaginación las palabras y acciones revisadas, no solo modificas la tendencia de la historia de tu vida, sino que conviertes todas sus discordias en armonías. El que descubre el secreto de la revisión no puede hacer otra cosa que dejarse guiar por el amor. Los resultados aumentarán con la práctica. La revisión es el camino por el cual lo correcto puede encontrar su correspondiente poder. "No resistan al mal", ya que todos los conflictos pasionales dan como resultado un intercambio de características.

"El que sabe hacer el bien y no lo hace, comete pecado" (Santiago 4: 17)

Para conocer la verdad debes vivir la verdad, y para vivir la verdad, tus acciones internas deben coincidir con las acciones de tu deseo cumplido. La expectativa y el deseo deben convertirse en uno. Tu mundo externo es solo un movimiento interno actualizado. Por la ignorancia de la ley de revisión, los que emprenden la guerra son perpetuamente derrotados.

Solo los conceptos que idealizan describen la verdad. Tu ideal del ser humano es su ser más verdadero. Porque creo firmemente que todo lo que es más profundamente imaginativo es, en realidad, más directamente práctico, te pido que vivas imaginativamente y que pienses y te apropies personalmente del trascendental dicho "Cristo en ti, la esperanza de gloria".

No culpes; solo resuelve. No es lo más hermoso de la humanidad y de la tierra lo que hace el paraíso, sino tú practicando el arte de la revisión. La prueba de esta verdad solamente puede estar en tu propia experiencia. Intenta revisar el día. Nuestro mejor fruto se lo debemos a las tijeras de podar de la revisión.

CAPÍTULO 5

LA MONEDA DEL CIELO

"¿Una firme persuasión de que una cosa es así, la hace así?" Y el profeta respondió: "Todos los poetas creen que sí. Y en épocas de imaginación esta firme persuasión removía montañas: pero muchos no son capaces de una firme persuasión de nada".
(Blake, Matrimonio del Cielo y el Infierno)

"Cada uno debe estar convencido de lo que cree"
(Romanos 14: 5)

La persuasión es un esfuerzo interno de intensa atención. Escuchar atentamente como si hubieras oído es evocar, activar. Al escuchar, puedes oír lo que quieres oír y persuadir a los que están más allá del alcance del oído externo. Háblalo interiormente solo en tu imaginación. Haz que tu conversación interior coincida con tu deseo cumplido. Lo que deseas oír afuera, debes oírlo adentro.

Toma lo externo en lo interno, conviértete en alguien que solo escucha aquello que implica el cumplimiento de su deseo y todos los acontecimientos externos del mundo se convertirán en un puente que conduce a la realización objetiva de tu deseo.

Tu conversación interna se escribe perpetuamente a tu alrededor en los acontecimientos. Aprende a relacionar estos acontecimientos con tu conversación interna y te volverás autodidacta. Por conversación interna me refiero a las conversaciones mentales que mantenemos con nosotros mismos. Pueden ser inaudibles cuando estás despierto debido al ruido y a las distracciones del mundo exterior del devenir, pero son bastante audibles en la meditación profunda y en el sueño. Sin embargo, ya sean audibles o inaudibles, tú eres su autor y formas tu mundo a su semejanza.

"Hay un Dios en el cielo (y el cielo está dentro de ti) que revela los misterios, y él ha dado a conocer al rey Nabucodonosor lo que sucederá al fin de los días. Tu sueño y las visiones que has tenido en tu cama eran estos" (Daniel 2: 28)

Las conversaciones internas, desde las premisas del deseo cumplido, son el camino para crear un mundo inteligible para ti. Observa tu conversación interna porque es la causa de la acción futura. La conversación interna revela el estado de conciencia desde el cual ves el mundo. Haz que tu conversación interna coincida con tu deseo cumplido, porque tu conversación interna se manifiesta a tu alrededor en los acontecimientos.

"Si alguien no falla en lo que dice, es un hombre perfecto, capaz también de refrenar todo el cuerpo. Ahora bien, si ponemos el freno en la boca de los caballos para que nos obedezcan, dirigimos también todo su cuerpo. Miren también las naves; aunque son tan grandes e impulsadas por fuertes vientos, sin embargo, son dirigidas mediante un timón muy pequeño por donde la voluntad del piloto quiere. Así también la lengua es un miembro pequeño, sin embargo, se jacta de grandes cosas. ¡Pues qué gran bosque se incendia con tan pequeño fuego!" (Santiago 3: 2-5)

Todo el mundo manifestado nos muestra el uso que hemos hecho de la Palabra —el habla Interna. Una observación acrítica de nuestra conversación interna nos revelará las ideas desde las que vemos el mundo. Las conversaciones internas reflejan nuestra imaginación, y nuestra imaginación refleja el estado con el cual está fusionada. Si el estado con el que estamos fusionados es la causa del fenómeno de nuestra vida, entonces estamos liberados de la carga de preguntarnos qué hacer, ya que no tenemos otra alternativa más que identificarnos con nuestro objetivo. Dado que el estado con el que nos identificamos se refleja en nuestra conversación interna, para cambiar el estado con el que estamos fusionados, primero debemos cambiar nuestra conversación interna. Son nuestras conversaciones internas las que hacen los acontecimientos del mañana.

"Que en cuanto a la anterior manera de vivir, ustedes se despojen del viejo hombre, que se corrompe según los deseos engañosos, y que sean renovados en el espíritu de su mente, y se vistan del nuevo hombre, el cual, en la semejanza de Dios, ha sido creado en la justicia y santidad de la verdad" (Efesios 4: 22-24)

"Nuestra mente, al igual que nuestro estómago, se despierta con el cambio de comida" (Quintillan)

Detén toda la antigua y mecánica conversación interior negativa y comienza una nueva conversación interna positiva y constructiva, desde las premisas del deseo cumplido. La conversación interna es el comienzo, la siembra de las semillas de la acción futura. Para determinar la acción, debes iniciar y controlar conscientemente tu conversación interna. Construye una frase que implique el cumplimiento de tu objetivo, como: "tengo un gran ingreso, estable y confiable, consistente con la integridad y el beneficio mutuo"; o "estoy felizmente casado"; "soy querido"; "estoy contribuyendo al bien del mundo", y repite esa frase una y otra vez hasta que te influya interiormente. Nuestra conversación interna representa de diversas maneras el mundo en el que vivimos.

"En el principio ya existía la Palabra" (Juan 1: 1)

"Lo que siembras cosechas. Mira aquellos campos. El sésamo era sésamo, el maíz era maíz.

¡El silencio y la oscuridad lo sabían! Así nace el destino del hombre" (La Luz de Asia)

Los finales son fieles a los orígenes.

"Los que van en busca del amor solo ponen de manifiesto su propio desamor. Y el desamor nunca encuentra el amor, solo los que aman encuentran el amor, y nunca tienen que buscarlo".
(D.H. Lawrence)

Todo el mundo atrae lo que es. El arte de la vida es sostener el sentimiento del deseo cumplido y dejar que las cosas vengan a ti, no ir tras ellas ni pensar que se escapan. Observa tu conversación interna y recuerda tu objetivo. ¿Coinciden? ¿Coincide tu conversación interna con lo que dirías audiblemente si hubieras conseguido tu objetivo? La conversación y las acciones internas del individuo atraen las condiciones de su vida. A través de la autoobservación acrítica de tus conversaciones internas descubrirás dónde estás en el mundo interno, y dónde estás en el mundo interno es lo que eres en el mundo externo. Te vistes del nuevo ser cuando los ideales y la conversación interna coinciden. Solamente de esta manera puede nacer el nuevo ser.

La conversación interna madura en la oscuridad. Desde la oscuridad sale a la luz. La conversación interna correcta es la conversación que sería tuya si realizaras tu ideal. En otras palabras, es la conversación del deseo cumplido. "Yo soy eso".

"Hay dos dones que Dios ha concedido únicamente al ser humano, y a ninguna otra criatura mortal. Estos dos son la mente y la palabra; y el don de la mente y la palabra es equivalente al de la inmortalidad. Si alguien utiliza estos dos dones correctamente, no se diferenciará en nada de los inmortales... y cuando deje el cuerpo, la mente y la palabra serán sus guías, y por ellas será llevado a las tropas de los dioses y las almas que han alcanzado la beatitud".
(Hermética, traducción de Walter Scott)

Las circunstancias y condiciones de la vida son conversaciones internas proyectadas afuera, sonido solidificado. El habla interna llama a los acontecimientos a la existencia. En cada evento está el sonido creativo que es su vida y su ser. Todo lo que una persona cree y consiente como verdadero se revela en su habla interna. Es su Palabra, su vida.

Intenta notar lo que estás diciendo en ti en este momento, a qué pensamientos y sentimientos estás dando tu consentimiento. Se tejerán perfectamente en el tapiz de tu vida. Para cambiar tu vida debes cambiar tu habla interna porque, como dijo Hermes, "la vida es la unión de la Palabra y la Mente". Cuando la imaginación haga coincidir tu habla interna con el deseo cumplido, habrá entonces un camino recto en ti mismo desde adentro hacia afuera, y lo externo reflejará instantáneamente lo que hay dentro de ti, así sabrás que la realidad es solo el habla interna materializada.

"Reciban con humildad la palabra implantada, que es poderosa para salvar sus almas" (Santiago 1: 21)

Cada etapa del progreso de una persona se lleva a cabo mediante el ejercicio consciente de su imaginación, haciendo coincidir su habla interna con su deseo realizado. Debido a que no los hace coincidir perfectamente, los resultados son inciertos, cuando podrían ser perfectamente seguros. La persistente asunción del deseo cumplido es el medio de realizar la intención. A medida que controlamos nuestra conversación interna, haciéndola coincidir con nuestros deseos realizados, podemos dejar de lado todos los demás procesos. Entonces simplemente actuamos con una imaginación e intención claras. Imaginamos el deseo cumplido y mantenemos conversaciones mentales a partir de esa premisa.

A través de la conversación interna controlada, desde las premisas del deseo cumplido, se realizan aparentes milagros. El futuro se convierte en el presente y se revela en nuestra habla interna. Estar sostenido por el habla interna del deseo cumplido es estar anclado con seguridad en la vida. Nuestra vida puede parecer destrozada por los acontecimientos, pero nunca se destrozará mientras mantengamos el habla interna de nuestro deseo cumplido. Toda la felicidad depende del uso activo y voluntario de la imaginación para construir y afirmar internamente que somos lo que queremos ser. Nos ajustamos a nuestros ideales, recordando constantemente nuestro objetivo e identificándonos con él. Nos fundimos con nuestros objetivos ocupando con frecuencia el sentimiento de nuestro deseo cumplido. El secreto del éxito es la frecuencia, la ocupación habitual. Cuanto más a menudo lo hagamos, más natural será. La fantasía ensambla. La continua imaginación fusiona.

Es posible resolver cualquier situación mediante el uso adecuado de la imaginación. Nuestra tarea es conseguir la frase adecuada, la que implica que nuestro deseo ya está realizado, y encender la imaginación con ella. Todo esto está íntimamente relacionado con el misterio de "la pequeña voz silenciosa".

La conversación interna revela las actividades de la imaginación, actividades que son la causa de las circunstancias de la vida. Por lo general, las personas son totalmente inconscientes de su habla interna y, por lo tanto, no se ven a sí mismas como la causa, sino como la víctima de las circunstancias. Para crear conscientemente las circunstancias es necesario dirigir conscientemente el habla interna, haciendo coincidir "la pequeña voz silenciosa" al deseo cumplido.

"Él llama a las cosas que no existen, como si existieran" (Romanos 4: 17)

La conversación interna correcta es esencial. Es la mayor de las artes. Es el camino para salir de la limitación hacia la libertad. La ignorancia de este arte ha hecho del mundo un campo de batalla y una penitenciaría donde solo se espera sangre y sudor, cuando debería ser un lugar de maravilla y asombro. La conversación interna correcta es el primer paso para convertirse en lo que se quiere ser.

"El habla es una imagen de la mente,
y la mente es una imagen de Dios"
(Hermética, traducción de W. Scott)

En la mañana del 12 de abril de 1953, mi esposa fue despertada por el sonido de una gran voz de autoridad que hablaba dentro de ella y decía: "Debes dejar de gastar tus pensamientos, tu tiempo y tu dinero. Todo en la vida debe ser una inversión".

Gastar es desperdiciar, derrochar, gastar sin retorno. Invertir es gastar para un fin del que se espera un beneficio. Esta revelación de mi esposa se refiere a la importancia del momento. Se trata de la transformación del momento. Lo que deseamos no está en el futuro, sino en nosotros mismos en este momento. En cualquier momento de nuestra vida nos enfrentamos a una elección infinita: "lo que somos y lo que queremos ser". Y lo que queremos ser ya existe, pero para manifestarlo debemos hacer coincidir nuestras conversaciones internas y nuestras acciones con ello.

"Si dos de ustedes se ponen de acuerdo aquí en la tierra para pedir algo en oración, mi Padre que está en el cielo se lo dará"
(Mateo 18: 19)

Lo único que cuenta es lo que se hace ahora. El momento presente no retrocede al pasado. Avanza hacia el futuro para confrontarnos, gastado o invertido. El pensamiento es la moneda del cielo. El dinero es su símbolo terrenal. Cada momento debe ser invertido, y nuestra conversación interna revela si estamos gastando o invirtiendo. Interésate por lo que estás "diciendo ahora" internamente más que por lo que has "dicho", eligiendo sabiamente lo que piensas y lo que sientes ahora.

Cada vez que nos sentimos incomprendidos, maltratados, abandonados, desconfiados, temerosos, estamos gastando nuestros pensamientos y perdiendo el tiempo. Cada vez que asumimos el sentimiento de ser lo que queremos ser, estamos invirtiendo. No podemos entregar el momento a una charla interna negativa y esperar mantener el dominio de la vida. Delante de nosotros van los resultados de todo lo que aparentemente queda atrás. El último momento no se ha ido, sino que se acerca.

"Así será mi palabra que sale de mi boca, no volverá a mí vacía sin haber realizado lo que deseo, y logrado el propósito para el cual la envié" (Isaías 55: 11)

Las circunstancias de la vida son las expresiones silenciadas del habla interna que las hizo —la palabra hecha visible.

Hermes dijo:

"La Palabra es el Hijo, y la Mente es el Padre de la Palabra. No están separados el uno del otro;

porque la vida es la unión de la Palabra y la Mente".

"Él nos hizo nacer por la palabra de verdad" (Santiago 1: 18)

Seamos, pues:

"Imitadores de Dios como hijos amados" (Efesios 5: 1)

y usemos nuestra conversación interna sabiamente para moldear el mundo externo en armonía con nuestro ideal.

"El Espíritu del Señor habló por mí, y su palabra estuvo en mi lengua" (2 Samuel 23: 2)

La boca de Dios es la mente humana. Alimenta a Dios solo con lo mejor.

"Todo lo que es de buen nombre... piensen en esas cosas" (Filipenses 4: 8)

El momento presente es siempre precisamente el adecuado para invertir, para hablar internamente la palabra correcta.

"La palabra está muy cerca de ti, en tu boca y en tu corazón, para que la guardes. Mira, yo he puesto hoy delante de ti la vida y el bien, la muerte y el mal... la bendición y la maldición. Escoge, pues, la vida" (Deuteronomio 30: 14, 15, 19)

Eliges la vida, el bien y las bendiciones siendo lo que eliges. Solo los iguales se reconocen entre sí. Haz que tu habla interna bendiga y dé buenos reportes. La ignorancia de la humanidad sobre el futuro es el resultado de su ignorancia sobre su conversación interna. Su habla interna refleja su imaginación, y su imaginación es un gobierno en el que la oposición nunca llega al poder.

Si el lector se pregunta: "¿Qué pasa si el habla interna permanece subjetiva y es incapaz de encontrar un objeto para su amor?". La respuesta es que no permanecerá subjetiva, por la sencilla razón de que el habla interna siempre se exterioriza. Lo que frustra y amarga, y se convierte en la enfermedad que aflige a la humanidad, es la ignorancia del arte de hacer coincidir las palabras internas con el deseo cumplido. El habla interna refleja la imaginación, y la imaginación es Cristo.

Modifica tu habla interna y tu mundo de percepción cambiará. Cuando el habla interna y el deseo están en conflicto, el habla interna invariablemente gana. Puesto que el habla interior se materializa, es fácil ver que si coincide con el deseo, este se realizará objetivamente. Si no fuera así, diría con Blake:

"Antes de matar a un niño en su cuna que alimentar deseos no expresados"

Pero yo sé por experiencia,

"La lengua…inflama la rueda de la creación" (Santiago 3: 6)

CAPÍTULO 6

ESTÁ EN EL INTERIOR

...Ríos, Montañas, Ciudades, Pueblos,
Todos son Humanos, y cuando entras en sus
senos caminas en cielos y tierras, así como en tu
propio seno llevas tu Cielo y tu Tierra y todo lo que
contemplas; aunque parezca que está fuera, está
dentro, en tu imaginación, de la que este mundo de la
mortalidad no es más que una sombra.
(Blake, Jerusalem)

Para Blake, el mundo interno era tan real como la tierra externa de la vida de vigilia. Consideraba sus sueños y visiones como las realidades de las formas de la naturaleza. Blake redujo todo a la base de su propia conciencia.

"El Reino de Dios está dentro de ustedes"
(Lucas 17: 21)

El ser real, el ser imaginativo, ha investido al mundo exterior con todas sus propiedades. La aparente realidad del mundo externo, que tanto le cuesta disolver, es solo una prueba de la realidad absoluta del mundo interno de su propia imaginación.

"Nadie puede venir a mí si no lo trae el Padre que me envió... El Padre y yo somos uno"
(Juan 6: 44; 10: 30)

El mundo que se describe a partir de la observación es una manifestación de la actividad mental del observador. Cuando el individuo descubre que su mundo es su propia actividad mental hecha visible, que ningún hombre puede venir a él a menos que él lo atraiga, y que no hay nadie a quien cambiar, sino a sí mismo, a su propio yo imaginativo, su primer impulso es remodelar el mundo a la imagen de su ideal. Pero su ideal no se encarna tan fácilmente. En el momento en que deja de ajustarse a la disciplina externa, debe imponerse una disciplina mucho más rigurosa, la autodisciplina de la que depende la realización de su ideal.

La imaginación no es totalmente ilimitada y libre de moverse a su voluntad sin ninguna regla que la limite. De hecho, es lo contrario. La imaginación se mueve según el hábito. La imaginación puede elegir, pero elige de acuerdo con el hábito. Despierto o dormido, la imaginación del individuo está obligada a seguir ciertos patrones definidos. Por eso, es necesario que cambie la influencia del hábito; si no lo hace, sus sueños se desvanecerán bajo la parálisis de la costumbre.

La imaginación, que es Cristo en el ser humano, no está sujeta a la necesidad de producir solo lo que es perfecto y bueno. Ejerce su absoluta libertad de la necesidad, dotando al ser físico externo de libre albedrío para elegir seguir el bien o el mal, el orden o el desorden.

"Escojan hoy a quién han de servir" (Josué 24: 15)

Pero una vez hecha y aceptada la elección, de modo que forme la conciencia habitual del individuo, entonces la imaginación manifiesta su infinito poder y sabiduría, moldeando el mundo sensorial exterior del devenir a imagen del habla y las acciones internas habituales del individuo.

Para realizar su ideal, las personas primero deben cambiar el patrón que ha seguido su imaginación. El pensamiento habitual es indicativo del carácter. La manera de cambiar el mundo externo es que el habla y la acción interna coincidan con el habla y la acción externa del deseo cumplido.

Nuestros ideales están esperando ser encarnados, pero a menos que nosotros mismos hagamos coincidir el habla y la acción interna con el habla y la acción del deseo cumplido, son incapaces de nacer. El habla y la acción interna son los canales de la acción de Dios. Él no puede responder a nuestras plegarias a menos que se ofrezcan estos caminos. El comportamiento externo del individuo es mecánico. Está sujeto a la coacción que le aplica el comportamiento del ser interno, y los antiguos hábitos del ser interno se mantienen hasta que son reemplazados por otros nuevos. Es una propiedad peculiar del segundo ser, o el ser interior, que da al ser exterior algo similar a su propia realidad de ser. Cualquier cambio en el comportamiento del ser interior dará lugar a los correspondientes cambios exteriores.

El místico llama a un cambio de conciencia "muerte". Por muerte se refiere, no a la destrucción de la imaginación y del estado con el que estaba fusionado, sino a la disolución de su unión. La fusión es unión más que unicidad. Por lo tanto, las condiciones a las que dio lugar esa unión se desvanecen. "Yo muero cada día", dijo Pablo a los corintios. Blake le dijo a su amigo, Crabbe Robinson:

> No hay nada como la muerte. La muerte es lo mejor que puede pasar en la vida, pero la mayoría de la gente muere muy tarde y toma un tiempo muy despiadado en morir. Dios sabe que sus vecinos nunca los ven levantarse de entre los muertos.

Para el ser externo de los sentidos, que no sabe nada del ser interno, esto es pura tontería. No obstante, Blake dejó muy claro lo anterior cuando el año anterior a su muerte escribió:

> William Blake —uno que se deleita con la buena compañía. Nació el 28 de noviembre de 1757 en Londres y ha muerto varias veces desde entonces.

Cuando la persona tiene el sentido de Cristo como su imaginación, ve por qué Cristo debe morir y resucitar de entre los muertos para salvar a las personas — porque debe separar su imaginación de su estado actual y hacerla coincidir con un concepto más elevado de sí mismo si quiere elevarse por encima de sus limitaciones actuales y así salvarse.

A continuación, una bonita historia de una muerte mística que fue presenciada por una "vecina". La "resucitada" escribe:

"La semana pasada, una amiga me ofreció su casa en las montañas para las vacaciones de Navidad, ya que ella pensaba ir al Este. Me dijo que me confirmaría esta semana. Tuvimos una conversación muy agradable y le hablé sobre ti y tus enseñanzas, a propósito de una discusión sobre el libro "Un experimento con el tiempo" de Dunne que ella había estado leyendo.

"Su carta llegó el lunes. Al recogerla tuve una repentina sensación de depresión. Sin embargo, cuando la leí, me dijo que podía quedarme con la casa y me dijo dónde conseguir las llaves. En lugar de alegrarme, me deprimí aún más, tanto que decidí que debía haber algo entre líneas que estaba percibiendo intuitivamente. Abrí la carta y leí toda la primera hoja, al pasar a la segunda, me di cuenta de que había escrito una posdata en el reverso de la primera hoja. Consistía en una descripción extremadamente directa y contundente de un rasgo desagradable de mi carácter que había luchado durante años por superar, y durante los últimos dos años creía haberlo conseguido. Sin embargo, aquí estaba de nuevo, descrito con exactitud clínica.

"Me quedé sorprendida y desolada. Pensé: '¿Qué está tratando de decirme esta carta? En primer lugar, me invitó a usar su casa, ya que me había estado imaginado en algún lugar encantador durante las vacaciones. En segundo lugar, nada viene a mí a menos que yo lo atraiga. Y en tercer lugar, no he escuchado más que buenas noticias. Por lo tanto, la conclusión obvia es que algo en mí se corresponde con esta carta y no importa lo que parezca, son buenas noticias'.

"Volví a leer la carta, y al hacerlo me pregunté: '¿Qué es lo que debo ver aquí?' Y entonces lo vi. Empezaba así: "Después de nuestra conversación de la semana pasada, creo que puedo decirte..." y el resto de la página estaba tan salpicada de 'era' y 'estaba' como pasas en un pastel de semillas. Entonces me invadió una gran sensación de euforia. Todo había quedado en el pasado. Lo que tanto me había costado corregir estaba hecho. De repente me di cuenta de que mi amiga era testigo de mi resurrección. Di vueltas por el estudio exclamando: "¡Todo es cosa del pasado! Ya está hecho. Gracias, ya está hecho". Reuní toda mi gratitud en una gran bola de luz y la proyecté directamente hacia ti, y si viste un relámpago el lunes por la tarde, poco después de las seis, fue esto.

"Ahora, en lugar de escribir una carta cortés porque es lo correcto, puedo escribir agradeciendo sinceramente su franqueza y dándole las gracias por el préstamo de su casa. Muchas gracias por estas enseñanzas que han hecho de mi amada imaginación mi verdadero Salvador".

Y ahora, si alguien le dice:

"Mira, aquí está el Cristo", o "Allí está"

Ella no le creerá, porque sabe que el Reino de Dios está dentro de ella y que ella misma debe asumir toda la responsabilidad de la encarnación de su ideal y que nada más que la muerte y la resurrección la llevarán a él. Ha encontrado a su Salvador, su amada imaginación, expandiéndose para siempre en el seno de Dios.

Solo hay una realidad, y es Cristo —la Imaginación Humana, la herencia y el logro final de toda la humanidad.

"Para que... hablando la verdad en amor, crezcamos en todos los aspectos en aquel que es la cabeza, es decir, Cristo" (Efesios 4: 14-15)

CAPÍTULO 7

LA CREACIÓN ESTÁ TERMINADA

"Nada existe que no haya existido antes, y nada existirá que no exista ya" (Eclesiastés 3: 15)

Blake veía todas las posibles situaciones humanas como estados "ya creados". Veía cada aspecto, cada argumento y cada drama como ya elaborados, como "meras posibilidades" mientras no estemos en ellas, pero como potentes realidades cuando estamos en ellas. Describió estos estados como "Esculturas de los salones de Los".

Por lo tanto, hay que distinguir los estados y los individuos de esos estados. Los estados cambian, pero las identidades individuales nunca cambian ni cesan... La imaginación no es un estado.

Blake dijo:

58

Es la existencia humana misma. El afecto o el amor se convierten en un estado cuando se separan de la imaginación.

No es posible decir lo importante que es recordar esto, pues cuando el individuo se da cuenta de ello por primera vez, es el momento más importante de su vida, y ser animado a sentir esto es la forma más alta de estímulo que es posible dar.

Esta verdad es común para todos, pero la conciencia de ella, y aún más, la autoconsciencia de ella, es otro tema.

El día en que me di cuenta de esta gran verdad —que todo en mi mundo es una manifestación de la actividad mental que se desarrolla en mi interior, y que las condiciones y circunstancias de mi vida solo reflejan el estado de conciencia con el que estoy fusionado— fue el más trascendental de mi vida. Pero la experiencia que me llevó a esta certeza es tan alejada de la existencia común, que por mucho tiempo he dudado en contarla, porque mi razón se negaba a admitir las conclusiones a las que la experiencia me llevaba. Sin embargo, esta experiencia me reveló que soy supremo dentro del círculo de mi propio estado de conciencia, y que es el estado con el que me identifico el que determina lo que experimento. Por lo tanto, debería compartirse con todos, ya que saber esto es liberarse de la mayor tiranía del mundo, la creencia en una segunda causa.

"Bienaventurados los de limpio corazón, pues ellos verán a Dios" (Mateo 5: 8)

Bienaventurados aquellos cuya imaginación ha sido tan purgada de las creencias en segundas causas que saben que la imaginación es todo, y todo es imaginación.

Un día, me desplacé silenciosamente desde mi apartamento en la ciudad de Nueva York hasta algún remoto campo de antaño. Al entrar en el comedor de una gran posada, tomé plena conciencia. Sabía que mi cuerpo físico estaba inmovilizado en mi cama de Nueva York. Sin embargo, aquí estaba tan despierto y consciente como nunca lo había estado. Supe intuitivamente que si podía detener la actividad de mi mente, todo lo que tenía delante se congelaría. Tan pronto como surgió ese pensamiento, me invadió el impulso de intentarlo. Sentí que mi cabeza se tensaba y luego se espesaba hasta llegar a la quietud. Mi atención se concentró en un enfoque claro como el cristal, y la mesera que estaba caminando, ya no caminaba. Miré por la ventana y las hojas que caían, dejaron de caer. La familia con cuatro personas comiendo, ya no comía. Y ellos recogiendo la comida, ya no la recogían. Luego, mi atención se relajó, la tensión se alivió, y de repente todo siguió su curso. Las hojas cayeron, la camarera caminó y la familia comió. Entonces comprendí la visión de Blake de las "Esculturas de los Salones de Los".

"Yo los envié a ustedes a segar lo que no han trabajado" (Juan 4:38)

La Creación está terminada.

"Nada existe que no haya existido antes, y nada existirá que no exista ya" (Eclesiastés 3: 15)

El mundo de la creación está terminado, y su original está dentro de nosotros. Lo vimos antes de partir, y desde entonces hemos tratado de recordarlo y de activar secciones del mismo. Hay infinitas visiones de él. Nuestra tarea es conseguir la visión correcta y mediante una determinada dirección de nuestra atención hacerla pasar en procesión ante el ojo interior. Si ensamblamos la secuencia correcta y la experimentamos en la imaginación hasta que tenga el tono de la realidad, entonces creamos conscientemente las circunstancias. Esta procesión interna es la actividad de la imaginación que debe ser dirigida conscientemente. Mediante una serie de transformaciones mentales, nos hacemos conscientes de porciones crecientes de lo que ya es, y al hacer coincidir nuestra propia actividad mental con la porción de la creación que deseamos experimentar, la activamos, la resucitamos y le damos vida.

Esta experiencia mía no solo muestra el mundo como una manifestación de la actividad mental del observador individual, sino que también revela nuestro curso del tiempo como saltos de atención entre momentos eternos. Un abismo infinito separa dos momentos cualquiera de los nuestros. A través de los movimientos de nuestra atención, damos vida a las "Esculturas de los salones de Los".

Piensa en el mundo como si contuviera un número infinito de estados de conciencia desde los cuales se pudiera mirar. Considera estos estados como habitaciones o mansiones en la Casa de Dios y que, al igual que las habitaciones de cualquier casa, están fijas unas en relación con otras. Ahora, piensa en ti mismo, en el Yo Real, en el Tú Imaginativo, como el ocupante viviente y en movimiento de la Casa de Dios. Cada habitación contiene algunas de las Esculturas de Los, con infinitas historias, dramas y situaciones ya elaboradas pero no activadas. Se activan en cuanto la Imaginación Humana entra y se fusiona con ellas. Cada una representa ciertas actividades mentales y emocionales. Para entrar en un estado, la persona debe aceptar las ideas y los sentimientos que este representa. Estos estados representan un número infinito de posibles transformaciones mentales que se pueden experimentar. Para pasar a otro estado o mansión es necesario un cambio de creencias. Todo lo que podrías desear ya está presente y solo espera ser igualado por tus creencias. Pero debe ser igualado, porque esa es la condición necesaria por la cual puede ser activado y materializado. La correspondencia con las creencias de un estado es la búsqueda que encuentra, la llamada a la que se abre, la petición que recibe. "Entra y toma posesión de la tierra".

Cuando una persona coincide con las creencias de cualquier estado, se fusiona con él, y esta unión da lugar a la activación y proyección de sus tramas, planes, dramas y situaciones. Se convierte en el hogar del individuo desde el que ve el mundo. Es su taller y, si es observador, verá que la realidad exterior se está formando sobre el modelo de su imaginación.

Precisamente con el propósito de instruirnos en la creación de imágenes, fuimos sometidos a las limitaciones de los sentidos y revestidos de cuerpos de carne. Es el despertar de la imaginación, el regreso de su Hijo, lo que nuestro Padre espera.

"La creación fue sometida a vanidad, no de su propia voluntad, sino por causa de Aquel que la sometió" (Romanos 8: 20)

Pero la victoria del Hijo, el retorno del pródigo, nos asegura que:

"La creación será liberada de la esclavitud de la corrupción a la libertad de la gloria de los hijos de Dios" (Romanos 8: 21)

Fuimos sometidos a esta experiencia biológica porque nadie que no haya estado sometido a las vanidades y limitaciones de la carne, que no haya tomado su parte de la filiación y se haya vuelto pródigo, que no haya experimentado y probado esta copa de experiencia, puede conocer la imaginación. Pero la confusión continuará mientras no se restablezca una visión fundamentalmente imaginativa de la vida y se reconozca como algo básico.

"A mí... se me concedió esta gracia: anunciar a los gentiles las inescrutables riquezas de Cristo, y sacar a la luz cuál es la dispensación del misterio que por los siglos ha estado oculto en Dios, creador de todas las cosas" (Efesios 3: 8-9)

Ten en cuenta que Cristo en ti es tu imaginación.
Así como la apariencia de nuestro mundo está determinada por el estado particular con el que estamos

fusionados, así podemos determinar nuestro destino como individuos fusionando nuestra imaginación con los ideales que buscamos realizar. De la distinción entre nuestros estados de conciencia depende la distinción entre las circunstancias y condiciones de nuestra vida. El individuo, que es libre para elegir su estado, a menudo clama para ser salvado del estado que ha elegido.

"Ese día clamarán por causa de su rey a quien escogieron para ustedes, pero el Señor no les responderá en ese día. No obstante, el pueblo rehusó oír la voz de Samuel, y dijeron: No, sino que habrá rey sobre nosotros"
(1 Samuel 8: 18-19)

Elige sabiamente el estado al que servirás. Todos los estados carecen de vida hasta que la imaginación se funde con ellos.

"Todas las cosas se hacen visibles cuando son expuestas por la luz, pues lo que hace que todo sea visible es la luz" (Efesios 5: 13)

También,

"Ustedes son la luz del mundo" (Mateo 5: 14)

Por la que se manifiestan las ideas que has consentido.

Aférrate a tu ideal. Nada puede arrebatártelo sino tu imaginación. No pienses en tu ideal, piensa desde él. Solamente se realizan los ideales desde los que piensas.

"No solo de pan vivirá el hombre, sino de toda palabra que sale de la boca de Dios" (Mateo 4: 4)

y "la boca de Dios" es la mente del individuo. Conviértete en un bebedor y un comedor de los ideales que deseas realizar. Ten un objetivo fijo y definido o tu mente divagará, y al divagar se comerá toda sugestión negativa. Si vives bien mentalmente, todo lo demás estará bien. Mediante un cambio de dieta mental, puedes alterar el curso de los acontecimientos observados. Pero a menos que haya un cambio de dieta mental, tu historia personal seguirá siendo la misma. Tú iluminas u oscureces tu vida por las ideas que consientes. Nada es más importante para ti que las ideas de las que te alimentas. Y te alimentas de las ideas de las que piensas. Si observas que el mundo no cambia, es una señal segura de que te falta fidelidad a la nueva dieta mental, la cual descuidas para condenar a tu entorno. Necesitas una actitud nueva y sostenida. Puedes ser lo que quieras si haces que la concepción sea habitual, pues cualquier idea que excluya todas las demás del campo de atención desemboca en la acción. Las ideas y los estados de ánimo a los que regresas constantemente definen el estado con el que estás fusionado. Por lo tanto, entrénate para ocupar más frecuentemente el sentimiento de tu deseo cumplido. Esto es magia creativa. Es la manera de trabajar hacia la fusión con el estado deseado.

Si asumieras el sentimiento de tu deseo cumplido con más frecuencia, serías dueño de tu destino, pero desgraciadamente la mayor parte del tiempo apartas tu asunción. Practica haciendo real para ti el sentimiento del deseo cumplido. Una vez que hayas asumido el sentimiento del deseo cumplido, no cierres la experiencia como lo harías con un libro, sino que llévala contigo como una fragancia. En lugar de olvidarlo por completo, deja que permanezca en la atmósfera comunicando su influencia automáticamente a tus acciones y reacciones. Un estado de ánimo, repetido con frecuencia, adquiere un impulso que es difícil de romper o controlar. Por lo tanto, ten cuidado con los sentimientos que albergas. Los estados de ánimo habituales revelan el estado con el que estás fusionado.

Siempre es posible pasar de pensar en el final que deseas realizar, a pensar desde el final.

Lo fundamental es pensar desde el final, porque pensar *desde* significa unificación o fusión con la idea, mientras que en el pensamiento del final siempre hay sujeto y objeto, el individuo que piensa y la cosa pensada. Debes imaginarte en el estado de tu deseo cumplido, en tu amor por ese estado, y al hacerlo, vives y piensas desde él y no más en él. Pasas de pensar *en* a pensar *desde* centrando tu imaginación en el sentimiento del deseo cumplido.

CAPÍTULO 8

LA NIÑA DEL OJO DE DIOS

¿Cuál es la opinión de ustedes sobre el Cristo?
¿De quién es hijo? (Mateo 22: 42)

Cuando se te haga esta pregunta, que tu respuesta sea:
"Cristo es mi imaginación" y, aunque

"Ahora no vemos aún todas las cosas sujetas a él"
(Hebreos 2: 8)

Sin embargo, sé que soy María, de quien tarde o
temprano él nacerá, y finalmente

"Todo lo puedo en Cristo"

El nacimiento de Cristo es el despertar del ser interno
o segundo hombre. Es hacerse consciente de la actividad
mental dentro de uno mismo, actividad que continúa
independientemente de que seamos conscientes de ella o
no.

El nacimiento de Cristo no trae a ninguna persona desde la distancia, ni hace nada que no haya estado allí antes. Es la revelación del Hijo de Dios en el individuo. El Señor "viene en las nubes" es la descripción que hace el profeta sobre los anillos pulsantes de luz líquida dorada sobre la cabeza de aquel en quien se despierta. La venida es desde adentro y no desde afuera, ya que Cristo está en nosotros.

Este gran misterio

"Dios fue manifestado en la carne"

comienza con el Adviento, y es apropiado que la limpieza del Templo

"Y ese templo son ustedes" (1 Corintios 3: 17)

se sitúe en el primer plano de los misterios cristianos.

"El Reino de Dios está dentro de ustedes"
(Lucas 17: 21)

El Adviento es la revelación del misterio de tu ser. Si practicas el arte de la revisión, viviendo de acuerdo con el uso sabio e imaginativo de tu habla interna y tus acciones internas, confiando en que por el uso consciente del "poder que obra en nosotros" Cristo despertará en ti; si lo crees, confías en ello y actúas en consecuencia, Cristo despertará en ti. Esto es el Adviento.

"Grande es el misterio, Dios fue manifestado en la carne".
(1 Timoteo 3: 16)

Desde el Adviento,

"Cualquiera que toca a mi pueblo, toca a la niña de mis ojos" (Zacarías 2: 8)

LA BÚSQUEDA

NEVILLE

Para Victoria

el cumplimiento de un sueño

LA BÚSQUEDA

Una vez, en un intervalo de ocio en el mar, medité sobre el "estado perfecto", y me pregunté cómo sería si yo tuviera ojos demasiados puros para contemplar la iniquidad, si para mí todas las cosas fueran puras y estuviera yo sin condenación. Mientras me perdía en esta intensa reflexión, me encontré elevado por encima del oscuro entorno de los sentidos. Tan intensa era la sensación, que me sentía un ser de fuego habitando en un cuerpo de aire. Voces como de un coro celestial, con la exaltación de los que han sido vencedores en un conflicto con la muerte, cantaban: "Ha resucitado, ha resucitado", e intuitivamente supe que se referían a mí.

Luego me pareció estar caminando en la noche. Pronto llegué a una escena que podría haber sido el antiguo estanque de Betesda, pues en ese lugar había una gran multitud de personas impedidas —ciegas, paralizadas, atrofiadas— pero no esperaban el movimiento del agua como de costumbre, sino que me esperaban a mí. A medida que me acercaba, sin pensamiento ni esfuerzo de mi parte, uno tras otro, iban siendo moldeados como por el Mago de la Belleza. Los ojos, las manos, los pies — todos los miembros que faltaban— eran atraídos desde algún depósito invisible y moldeados en armonía con esa

75

perfección que sentía brotar dentro de mí. Cuando todos fueron perfeccionados, el coro clamó: "Está terminado". Entonces la escena se disolvió y me desperté.

Sé que esta visión fue el resultado de mi intensa meditación sobre la idea de perfección, ya que mis meditaciones invariablemente traen consigo la unión con el estado contemplado. Había estado tan completamente absorto dentro de la idea, que durante un tiempo me había convertido en lo que contemplaba, y el elevado propósito con el que me había identificado en ese momento atrajo la compañía de las cosas elevadas y moldeó la visión en armonía con mi naturaleza interior. El ideal con el que nos unimos actúa por asociación de ideas para despertar mil estados de ánimo y crear un drama acorde con la idea central.

Descubrí esta estrecha relación entre los estados de ánimo y la visión cuando tenía unos siete años. Empecé a ser consciente de que una misteriosa vida se agitaba dentro de mí como un océano tormentoso de espantosa fuerza. Siempre sabía cuándo me uniría a esta identidad oculta, pues mis sentidos estaban expectantes en las noches de estas visitas y sabía, con certeza, que antes de la mañana estaría a solas con la inmensidad. Temía tanto estas visitas que me quedaba despierto hasta que se me cerraban los ojos de puro cansancio. Cuando mis ojos se cerraban en el sueño, ya no estaba solo, sino que me sentía completamente unido a otro ser, sin embargo, sabía que era yo mismo. Parecía más viejo que la vida, pero más cercano a mí que mi niñez. Si cuento lo que descubrí en estas noches, no lo hago para imponer mis ideas a los demás, sino para dar esperanza a los que buscan la ley de la vida.

Descubrí que mi estado de ánimo expectante funcionaba como un imán para unirme a este Gran Yo, mientras que mis temores lo hacían aparecer como un mar tormentoso. Como niño, concebí este misterioso ser como poder, y en mi unión con él sentí su majestuosidad como un mar tempestuoso que me empapaba, y luego me revolcaba y arrojaba como una ola indefensa.

Como hombre lo concebí como amor y a mí mismo como hijo de él, y en mi unión con él, ahora, ¡qué amor me envuelve! Es un espejo para todos. Todo lo que concebimos que es, eso es para nosotros. Creo que es el centro a través del cual son atraídos todos los hilos del universo; por lo tanto, he alterado mis valores y cambiado mis ideas para que ahora dependan y estén en armonía con esta única causa de todo lo que existe. Para mí es esa realidad inmutable la que modela las circunstancias en armonía con nuestros conceptos de nosotros mismos.

Mis experiencias místicas me han convencido de que no hay otra manera de lograr la perfección exterior que buscamos que no sea mediante la transformación de nosotros mismos. En cuanto conseguimos transformarnos, el mundo se deshace mágicamente ante nuestros ojos y se remodela en armonía con lo que afirma nuestra transformación.

Voy a contar otras dos visiones porque confirman la verdad de mi afirmación de que nosotros, por la intensidad del amor y del odio, nos convertimos en lo que contemplamos.

Una vez, con los ojos cerrados y radiantes por la contemplación, medité sobre la eterna pregunta: "¿Quién soy yo?", y sentí que me disolvía gradualmente en un mar infinito de luz vibrante, y la imaginación pasaba por encima de todo temor a la muerte. En este estado no existía nada más que yo mismo, un océano ilimitado de luz líquida. Nunca me he sentido más íntimo con el Ser. No sé cuánto duró esta experiencia, pero mi regreso a la tierra fue acompañado por una clara sensación de cristalizarme nuevamente en forma humana.

En otra ocasión, me recosté en mi cama y con los ojos cerrados como en el sueño medité sobre el misterio de Buda. Poco después, las oscuras cavernas de mi cerebro comenzaron a volverse luminosas. Me parecía estar rodeado de nubes luminosas que emanaban de mi cabeza como anillos ardientes y pulsantes. Por un momento no vi más que estos anillos luminosos. Entonces apareció ante mis ojos una roca de cristal de cuarzo. Mientras la contemplaba, el cristal se rompió en pedazos y unas manos invisibles le dieron rápidamente la forma de un Buda viviente. Al contemplar esta figura meditativa, vi que era yo mismo. Yo era el Buda viviente que contemplaba. Una luz como la del sol brilló desde esta imagen viva de mí mismo con una intensidad creciente hasta que explotó. Entonces la luz se desvaneció gradualmente y una vez más me encontré en la oscuridad de mi habitación.

¿De qué esfera o tesoro de diseño salió este ser más poderoso que el humano, sus vestimentas, el cristal, la luz? Si vi, oí y me moví en un mundo de seres reales, cuando me parecía caminar en la noche, cuando los cojos, los paralíticos, los ciegos se transformaban en armonía con mi naturaleza interior, entonces estoy justificado en suponer que tengo un cuerpo más sutil que el físico, un cuerpo que puede desprenderse del físico y usarse en otras esferas; porque ver, oír, moverse son funciones de un organismo aunque sea etéreo. Si pienso en la alternativa de que mis experiencias psíquicas fueran fantasías autogeneradas, no deja de maravillarme este ser más poderoso que proyecta en mi mente un drama tan real como los que experimento cuando estoy completamente despierto.

En estas encendidas meditaciones he entrado una y otra vez, y sé más allá de toda duda que ambas asunciones son ciertas. Dentro de esta forma de tierra hay un cuerpo sintonizado con un mundo de luz, y yo, mediante una intensa meditación, lo he levantado como con un imán a través del cráneo de esta oscura casa de carne.

La primera vez que desperté los fuegos dentro de mí pensé que mi cabeza iba a explotar. Hubo una intensa vibración en la base de mi cráneo, y luego un repentino olvido de todo. A continuación, me encontré vestido con una prenda de luz y unido por un cordón elástico plateado al cuerpo que dormitaba en la cama. Mis sentimientos eran tan exaltados que me sentía relacionado con las estrellas. Con esta vestimenta recorrí esferas más familiares que la tierra, pero descubrí que, como en la tierra, las condiciones se moldeaban en armonía con mi naturaleza. "Fantasía autogenerada", te escucho decir. No más que las cosas de la tierra. Soy un ser inmortal que se concibe a sí mismo como hombre y forma mundos a imagen y semejanza de mi concepto del ser. Lo que imaginamos, eso somos. Por nuestra imaginación hemos creado este sueño de vida, y por nuestra imaginación volveremos a entrar en ese mundo eterno de luz, convirtiéndonos en lo que éramos antes de imaginar el mundo. En la economía divina nada se pierde. No podemos perder nada salvo por el descenso de la esfera donde la cosa tiene su vida natural. No hay poder transformador en la muerte y, estemos aquí o allá, modelamos el mundo que nos rodea por la intensidad de nuestra imaginación y sentimiento, e iluminamos u oscurecemos nuestras vidas por los conceptos que tenemos de nosotros mismos. Nada es más importante para nosotros que la concepción que tenemos de nosotros mismos, y esto es especialmente cierto en lo que respecta a nuestro concepto del Ser profundo y oculto dentro de nosotros.

Aquellos que nos ayudan o nos obstaculizan, lo sepan o no, son los servidores de esa ley que moldea las circunstancias externas en armonía con nuestra naturaleza interior. Es nuestra concepción de nosotros mismos la que nos libera o nos limita, aunque pueda utilizar organismos materiales para lograr su propósito.

Ya que la vida moldea el mundo externo para reflejar el arreglo interno de nuestras mentes, no hay manera de lograr la perfección externa que buscamos, sino mediante la transformación de nosotros mismos. Ninguna ayuda viene de fuera; las colinas a las que alzamos nuestros ojos son las de un rango interno. Por lo tanto, es a nuestra propia conciencia a la que debemos dirigirnos como la única realidad, el único fundamento sobre el que se pueden explicar todos los fenómenos. Podemos confiar absolutamente en la justicia de esta ley para darnos solo lo que es de la naturaleza de nosotros mismos. Intentar cambiar el mundo antes de cambiar nuestro concepto de nosotros mismos, es luchar contra la naturaleza de las cosas. No puede haber un cambio externo mientras no haya primero un cambio interno. Como es adentro, así es fuera. No estoy abogando por la indiferencia filosófica cuando sugiero que nos imaginemos que ya somos lo que queremos ser, viviendo en una atmósfera mental de grandeza, en lugar de utilizar medios y argumentos físicos para provocar el cambio deseado. Todo lo que hacemos, si no va acompañado de un cambio de conciencia, no es más que un fútil reajuste de superficies. Por mucho que nos esforcemos o luchemos, no podemos recibir más de lo que afirman nuestras premisas subconscientes. Protestar contra cualquier cosa que nos ocurra es protestar contra la ley de nuestro ser y nuestro dominio sobre nuestro propio destino.

Las circunstancias de mi vida están demasiado relacionadas con mi concepto de mí mismo como para no haber sido lanzadas por mi propio espíritu desde algún almacén mágico de mi ser. Si hay dolor para mí en estos acontecimientos, debo buscar la causa en mi interior, pues me mueven aquí y allá y me hacen vivir en un mundo en armonía con el concepto que tengo de mí mismo.

La meditación intensa produce una unión con el estado contemplado, y durante esta unión vemos visiones, tenemos experiencias y nos comportamos de acuerdo con nuestro cambio de conciencia. Esto nos muestra que una transformación de la conciencia dará lugar a un cambio de entorno y de comportamiento.

Sin embargo, nuestras alteraciones comunes de conciencia, al pasar de un estado a otro, no son transformaciones, porque cada una de ellas es rápidamente sucedida por otra en sentido inverso; pero siempre que un estado se estabiliza tanto como para expulsar definitivamente a sus rivales, entonces ese estado habitual central define el carácter y es una verdadera transformación. Decir que nos hemos transformado significa que las ideas que antes eran periféricas en nuestra conciencia ahora ocupan un lugar central y forman el centro habitual de nuestra energía.

Todas las guerras demuestran que las emociones violentas son extremadamente potentes para precipitar reajustes mentales. A cada gran conflicto le ha seguido una era de materialismo y codicia, en la que los ideales por los que aparentemente se libró el conflicto quedan sumergidos. Esto es inevitable porque la guerra evoca el odio, que impulsa un descenso de la conciencia desde el plano del ideal hasta el nivel donde se libra el conflicto.

Si nos emocionáramos tanto por nuestros ideales como lo hacemos por nuestras aversiones, ascenderíamos al plano de nuestros ideales con la misma facilidad con la que ahora descendemos al nivel de nuestros odios.

El amor y el odio tienen un poder mágico de transformación y mediante su ejercicio nos convertimos en la semejanza de lo que contemplamos. Por la intensidad del odio creamos en nosotros mismos el carácter que imaginamos en nuestros enemigos. Las cualidades mueren por falta de atención, de modo que los estados desagradables se pueden borrar mejor imaginando "belleza por cenizas y alegría por luto", en vez de atacar directamente el estado del que nos queremos liberar. "Todo lo bello y lo que es digno de admiración, piensa en esas cosas", porque nos convertimos en aquello con lo que somos afines.

No hay nada que cambiar, sino nuestro concepto de sí mismo. La humanidad es un solo ser, a pesar de sus múltiples formas y rostros, y en ella solo existe la aparente separación que encontramos en nuestro propio ser cuando soñamos. Las imágenes y las circunstancias que vemos en los sueños son creaciones de nuestra propia imaginación y no tienen existencia más que en nosotros mismos. Lo mismo ocurre con las imágenes y circunstancias que vemos en este sueño de vida. Ellas revelan el concepto que tenemos de nosotros mismos. Tan pronto como consigamos transformar el yo, nuestro mundo se disolverá y se reconfigurará en armonía con lo que afirma nuestro cambio.

El universo que estudiamos con tanto cuidado es un sueño y nosotros somos los soñadores del sueño, soñadores eternos soñando sueños no eternos.

Un día, como Nabucodonosor, despertaremos del sueño, de la pesadilla en la que luchamos con demonios, para descubrir que en realidad nunca abandonamos nuestro hogar eterno; que nunca nacimos ni hemos muerto más que en nuestro sueño.

Fin

Sabiduría de Ayer, para los Tiempos de Hoy

www.**wisdom**collection.com

Made in the USA
Las Vegas, NV
30 December 2024

15594750R00055